EL PERRO DEL ABUELO

ENRIC LLUCH

DIBUJOS: MONTSE TOBELLA

LETRA GRANDE

ALGAR
EDITORIAL

EL ABUELO DICE QUE SU PERRO
ERA MUY LISTO.

—ME TRAÍA LA MEJOR NARANJA
DEL HUERTO.

MIGUEL MIRA AL ABUELO
CON LOS OJOS MUY ABIERTOS.

—¿Y QUÉ MÁS HACÍA EL PERRO?

—¡HUY! ENCONTRABA CONEJOS
DONDE NO HABÍA.

MIGUEL SE LIMPIA LA NARIZ
CON LA MANGA.

—¿Y QUÉ MÁS, ABUELO?

—HUSMEABA EL HUERTO,
Y ELEGÍA LA SANDÍA MÁS DULCE.

MIGUEL SE IMAGINA UN PERRO
CON UNA SANDÍA EN LA BOCA.

LA ABUELA SE ACERCA, ACARICIA
LA CABEZA DE SU NIETO Y DICE:

—EL ABUELO NUNCA HA TENIDO
UN PERRO.

Licencia editorial por cesión de Edicions Bromera, SL (www.bromera.com).

Título original: *El gos del iaio*
© Enric Lluch Girbés, 2011
Traducción: del autor
© Dibujos: Montserrat Tobella Soler, 2011
© Algar Editorial
   Polígon Industrial 1
   46600 Alzira
   www.algareditorial.com
Diseño: Pere Fuster
Impresión: Índice, SL

1ª edición: octubre, 2011
ISBN: 978-84-9845-294-5
DL: B-31017-2011